セレクション韓・詩
03

数学者の朝

キム・ソヨン

姜信子 訳

CUON

数学者の朝

수학자의 아침

This book is published with the support of
the Literature Translation Institute of Korea (LTI Korea).

目次

第一部

遺書なき皮膚を軽蔑します

第二部

痛みは若葉の色に

第三部

便りが必要

凡例
＊は訳註を表わす。

第一部

遺書なき皮膚を軽蔑します

陰

桜は千の眼を吹雪のように開くわね
瞳もなければ
瞼もないの

コートをクリーニング屋に持っていく道と
教会のにぎわいと
日曜日と
雪ぞりと

じきに桜はさくらんぼを落とすわね
じわりと唾がわいてくるね

蜘蛛のように路地にしゃがんで
路地に捨てられた椅子に座って
出発もなければ
到着もないの

明け放たれた陽光
開け放たれた鉄の門
陰にしゃがんで濡れた膝を乾かしているね
氷は溶けもしなければ
凍りつきもしないの

ホッキョクギツネとセイウチとアザラシと
白い虹と白い雲霧と
砕氷船もなければ

海峡もないの

さくらんぼはちょっとの間は石の陰にいるよね
蟻はさくらんぼを舐めるよね
舌もなければ
愛もないの

ああ、バートルビー

まことに幸いなことに皆が不幸になるまで幸せに生きようと言い合った誓いが土の庭で満開です、四月の最後の日はおまけの半日がついてくる奇妙な日です、公平無私に皆が不幸になるまでなんとしても舞い飛んでいようと言い合っていた蝶たちが羽をたたんで静かに死を待つ春の日です、あれをごらんなさい、キンセンカもケシもデイジーもどれもこれも、いいえ、いいえ、首を横に振って今日一日を生きぬきます、美しくも皆が不幸になるまで、涙ぐましくも皆が不幸になるまで、世界中の蝶は花の代書人なのです、生きとし生けるすべてのものがいちどきに漏らすため息がついには春の風となります、昼の月が白い穴のように空にかかっています、穴のまわりのほうがむしろあたたかいのです、おまけの半日が配達されてくる奇妙な日です、大同団結して皆が不幸になるまで枯れはしないと、花びらは花柄をしっかりとつか

まえたまま造花のように冷たいのです、完全無欠にみんなが不幸になるまで
沈みゆく太陽は奥歯をじりじり噛みしめます、

主導者

薔薇の花が投身しました

塀の下にしゃがみこんで
ガラスのように砕けた花びらのかけらを拾います
あらゆる皮膚には模様のように遺書が記されているのだという
生まれたときからそうなのだという　ある農夫の言葉が思い出されます

動くことのないすべてのものを軽蔑します
わたしは薔薇の側の者です

梅雨前線反対を叫びつづけていた

雨粒の二重国籍について考えています

そうあってはならぬことを
誰もが知ることになるときまで
雨粒はひたすら窓を打ちつづけるだけなのです
窓の外側がかれらの追いやられている場なのだということを
知らずにすますことなどできるのですか

雨粒の叫びを夜どおし聞きつづけて
残ったのは棘だけになってしまった薔薇の木
雨粒の人海戦術を支持した痕跡です

わたしは叫びの側の者です
意志なき皮膚　遺書なき皮膚を軽蔑します

しゃがみこんで死にゆく皮膚に触れます
爪の下に棘のように突き刺さったこの痛みを
贈り物とこころえて　たずさえていきます
この贈り物にこそ　突き動かされるのです

＊　韓進自動車の労働者の闘争に寄り添って書かれた詩。主導者がいて人々は動かされるのではない。弱者に寄り添う心が人々を突き動かすのである。

数学者の朝

ちょっとのあいだ　死ぬことにするわね
三角形みたいに

停止したモノたちの静かな影をぐるり見わたす
鳥かごがくるくるまわりだす

抱きしめている人は見えないということについて
抱きしめている人をもっとぎゅっと抱きよせて考える

これは記憶を想像すること
眼球に這いあがってくる蟻を見ること

膚《はだ》に染みこんでしまった冬だとか、南の海の南十字星だとか
ちょっとのあいだ　死ぬことにするわね
すっと伸びた線みたいに

数学者は目をつむる
見えない人の息を数えることにする
吸っては吐く間隔の二項対立構造を計ることにする

息の音が　鼓動の音が　脈拍の音が
数学者の耳をむやみに行き交う
いやしい肉体に宿るいやしい歓びについて考える

涙とか　ため息とか　もうずっと忘れて生きてきました
そんなにいい日々でもなかったというのに

ちょっとのあいだ　死ぬことにするわね
いまだかつて目撃したことのない完全な円周率を思いながら

人の息が
数学者のまつげに触れる
いつかきっと曲線を描きだす直線の長さを想像する

だから

つつがなく過ごしています
だから悲しみが渇いていきます

私が口にする言葉を
私がひとり聞いて過ごしています
ああ、いいな、そんな言葉を私が言って
私がひとり聞いています

明日が扉の前に到着してから、もうずいぶんになります
日陰にしゃがんで長い舌を垂らして一日を過ごす犬のように
明日の匂いに気づかぬふりをしています

元気にしているだろうか　と思いをはせる人のひとりもなく
明日の天気を気にかけることもなく

午後のあいだずっと　築きあげた砂の城が
波でだんだんと崩れてゆくのを眺め
腰の曲がった老人がアコーディオンを弾くのをひとしきり聞いていました

死を待ちながら草むらにじっとたたずむ蝶に
パピヨン、と独りつぶやく男の子を見ました

夢の中ではやたらと
幼い私が罪に怯えているんです
朝、眠りから覚めるたび
黒い憐憫が寝返りを打って　罪の怯えを通りぬけていきます

風の通りぬけてゆく洗濯物のように
悲しみが渇いていきます

お元気ですか　という言葉は聞きたくありません
その言葉が悲しみを目覚めさせるからです
悲しみは私をふたたび生きるほうへと引き寄せるからです

黒く熟れたスモモをもいでかじるとき
手首をつたって甘ったるい汁が流れ落ちるとき
ああ、おいしい、と私が言い
私がひとり聞いています

おもちゃの世界

電話局を過ぎ
病院を過ぎて　三叉路にごはんを食べに出た
魚を一つ　ゆっくりと　骨だけ残して食べつくした

自分の体の何倍もの蛾を
頭だけきれいに食べて　残りはぽんと放り捨てた
トカゲを見ながら

一日の半分
残りの半分

叫びが一つ　天を切り裂いて　足もとに落ちてきた
私は午後に引っかかり、水曜日に身を置いていた
同じ場所をふたたび訪ねてきたけれど
同じ時間をふたたび訪ねる方法がわからなかった
なかったものたちがしきりに現われ
あったものたちがむやみに消えた　喩えて言うなら
おもちゃをプレゼントされた貧しき子のように
なんだか嘘みたいで　とても信じられなくて
朝だけ　しばし　きらきら光る数万の霜
一日の半分

残りの半分

午前には川向こうの牛が牛を角で突き
午後には母猫が子猫をくわえて歩いた

蛙さん、おまえは貧しかった幼いころの私のおもちゃだったんだ
あのころの私はおもちゃの中をかならず開けて見ていたな

蛙のあとについて川辺へと　一歩　また一歩　あるいていった
川辺に腰をおろして物思いにふけった
思いの深みにはまって　死ぬにはもってこいだった

平澤《ピョンテク》

すべてを剝ぎとられた人間になって恥じ入りながら立っていたその場所に
もっと剝ぎとられた人間がひとり現れて　長いあいだ堂々と泣いた

子宮に手を突っ込んで
死産した子馬を引きずりだした経験を話してくれた
競馬場の男の皮ばかりの手を見た

病んだ馬を人々は肉と呼ぶのだという
チキンを分け合って食べながら　私は肉として座っていて
だんだんみすぼらしくなっていった

玄関で靴をきれいに揃えながら　ひとりの男が
惜別の挨拶のように話しかけてきた言葉だった
職場で働いていた時間より
解雇されて籠城している時間のほうが長くなったのだという

すべてを剝ぎとられたまま
私はなんとか靴をはいた

死にゆく瞬間には強張っていた肉もすっかり緩むのだという

それをその目で見たという男と並んで
煙草を吸いながら歩いた
列車はレールの上を堂々と走っていた

希望は拷問に近いと語る友人が隣に座っていた
希望は肉に近いという言葉として聞いた

人間に会った日だった
予想もしなかったどこかが深く抉られて
もうこれ以上怖くはなくなった

＊　平澤で繰り広げられた、双龍《サンヨン》自動車労組によるリストラ撤回を求める籠城闘争をテーマにした詩。

そういうこと

雪が激しく降りだした　窓の外でではなく　遠く遥かな大関嶺《テガルリョン》で

朝はそんなふうにしてはじまった　洗濯物を干して　窓を開け放して　外で腰をおろし　日の光を浴びていると　猫が近寄ってきて　私の影のまわりをちょっと歩いて　あちらのほうで丸くなった

夢の中で起きたことが降り注いできた　ふとももに落ちてきた丸い雨の雫
それからブリキのやかん　その次は屠殺場の脇のポプラの木だった

断食を敢行した　私ではなく　私の知り合いのひとりが遠く遥かな済州島で

朝はそんなふうにして過ぎていったけれど　ひどく具合が悪かった　私ではなく　遠く遥かなシベリアで　私が大好きな友だちが

おばあさんは牛の血の煮凝りが好きで　おかあさんはおばあさんが好きだった　私はお使いが好きだった

ぺたぺたと赤い水を踏んで　屠殺場の中へと歩いて入ってゆくと　一歩また一歩と　淋しくなった　黒い前掛けをしたおじさんが私の頭をなでてくれた　動物たちは釣りさげられていたり転がっていたりした　ずるずる引きずられて私の家の前を通りすぎていったのは昨日のことだった

おばあさんはちょこんと座って牛の血の煮凝りを食べた　ずいぶん前にその家でではなく　ちょっと前に夢の中で
遠くから飛んできた貧血がおばあさんの銀の匙に載っていた　おばあさんの銀色の頭のてっぺんのように　渦を巻いて

朝はこんなものだ

到着したものたちが翼をたたむときには影が生まれる　到着のその場所に
木があるならば鳥の声を聞くことができるだろうに　人が、ではなく　あ
そこの空き地で一本の木が

定食

あの子は
わたしたち、という言葉をはるか遠くに押しやった
死ぬことができずに生きているあの子の一日一日が
死を凌駕していた

風景になってゆく暴力のなかで
あの子は運よく生きのび
いかにして憎むかということばかりを考えていた
あの子は憎む力がなくなるんじゃないかと恐れていた

私はしょっちゅう

できそこないの異邦人になって一緒にごはんを食べた
あの子は卵焼きを口いっぱいに頰張った
私が好きなニラのキムチには手もつけなかった

涙声には前世を凌駕してしまうものもあるのです
あなたの咳があなたの体を凌駕するように

そうだったの……
そうだったのね……

わたしたちは黙々と白いご飯をすくって
わかめスープにぽとんぽとんと落とした

あの子は
両足をそろえて祈るのだと言った

生きまちがった日々と　さらに生きまちがってゆく日々の間で
しばし死ぬ　そのたびに

あの子のスプーンに魚の身をのせてやりながら言った
わたしたち、という言葉を最後の最後まで使わない
最後の人になろう

私が少しずつあの子を理解するにつれ
あの子は少しずつ壊れてゆくと言った
祈りが傷ついてしまうのだと

愛と希望の街

わたしたちは
たがいに記憶しているその人のふりをすべく
努めている

雨粒に顔を差し出す
植物になりたかった　思わずそう言いそうになったとき

ねえ、
いままで生きてきて私は……　いままで生きてきて私は……
なんてことは言わないで
生きながら死んでいたのに

耳が痛いね
私は顔をとりかえる　あまりにたくさんの顔がぶらんぶらんぶらさがってい
る
仮面のなる木ならば
枝先がだらんと垂れ下がったはず
いや、折れていたはず

本当は
理解しているということを
忘れてはいけない

わたしたちは
肩で話を聞いている
ちかづいたり　あとずさったりして、

雨粒が落ちて　広がって　濃くなってゆく
わたしたちの肩が
まだらになる　そのとき

ガラス窓みたい、あなたの肩は……
鼓膜があるの？　あなたの肩は……

必要な言葉なのか
不要な言葉なのか
知るすべのないこの言葉は言わないことにする

雨粒の違いについて語ることのできる人と向かい合って座っている
雨粒になって下水溝に流れゆく者になって

＊　この詩には、映画「愛と希望の街」（監督：大島渚）が潜んでいる。

オキナワ、チュニジア、フランシス・ジャム

わたしたちが行くことのできる最果てが
ここまでなんて　つまらない
やどかりみたいに　やどかりみたいに

わたしたちはそれぞれ
眺めのいい場所にぽつんと立つ展望台のように
高くそびえて　寂しくて
ただそれだけのこと

わたしたちは歩いたよね　振り返ったら足跡がなかったよね
這っていたんだろうか　やどかりみたいに　やどかり

みたいに

＋

慎重にならないようにするわ
ただ花のように香りで異議を唱えるわ
それを叫びや沈黙と解釈するのは
独裁者の仕業として残しておくわね

　あなたは、自分ではそうは言わないけれど　この遥かな滑走路、わたしが走りだせばあなたは支える　わたしが舞い上がればあなたは拍手を送る　わたしたちは遠く離れていくけれども　わたしたちはきっとまた出会うよね　いつもわたしたちが出会っていたあのさまざまな場所で、肩を組むようにして肩を寄せ合ったあの場所で

「よきいたわりは美しき愛、古い急流の水際の小さないちごのように」*

＋

やどかりが一匹　家を捨てるのをわたしたちは見たよね　片手片足と捨てながら歩いてゆくのを見たよね　あのときジャスミンの花がひとひら　落ちるのを見たよね　やどかりがジャスミンの花びらをリュックサックのように背負ってふたたび、歩いてゆくのをわたしたちは見たよね

わたしたちがわたしたちを潜ませる場所が
ここだけなのはつまらない
やどかりみたいに　やどかりみたいに

＋

わたしのかかとから血が流れたら
絶壁に花ひらいた一粒のいちごと言ってちょうだい
あなたの髪から
血の匂いがしたなら
ジャスミンの香りがすると言ってあげる

＊　フランシス・ジャムの詩「水のほとりの牧場には／*Les pâturages*」より（詩中邦訳は訳者による）

第二部

痛みは若葉の色に

旅人

人の住まぬ地へと向かった者がいた
生きがたい場所であろうとも　そこに生きた者がいた
家を建て　窓をつけ　鳩を育てた者がいた

その窓から私はいま外を眺めている
これほどに難解な地形を　もっとも易く理解した者が
もっとも長く立っていたであろう場所に立って

宇宙のどこか
人が生きられぬ星で詩を書く者もいるだろう
家畜を屠殺して肉を焼いて暮らすように　泰然と

お元気ですか、ありがとうございます、さようなら、
知る言葉のほとんどない見知らぬ土地で
私が感じとることができるのは束の間の出会いの喜びと
つきまとって離れない恐怖だけ

恐怖に集中するうちにやがて
支配しうるすべてのものを支配することを望んだ者は
実は自身の疲弊を他の言葉に置き換えようとしていたということに
ハエのようにやたらと顔をのぞかせる楽観を追い払いつつ
私は気づく

苦しいんです、生きたいんです、風邪薬が必要なんです、
生きるがために汚れる者に私はなることにする

汚れたまま眠る足と
汚れたまま握手をする手だけに
寄り添う者になることにする

にもかかわらず　そこに生きた者が
にもかかわらず　生きがたくなっていった地を遺跡地と呼ぶ
巨大な石像に表情を刻みつけた奴隷たちは
なにごとかを知っていても知っているとは言わなかった

その誰をも
嘲ることのない者として生きることにする
危ないよ、気をつけて、大丈夫、
一日にただ一つだけ　慰め労わる者になることにする

誰ひとり生きのこることのない地に生きる者がいる

生きがたい場所であろうとも　そこで生きぬく者がいる
家を建て　窓をつけ　青葡萄を育てる者がいる

ひとり

商店街の真っ暗な内部が　これ以上ないほど暗くなる
ナイフを差し込んで隙間を押し広げるかのように光が漏れでていようとも
切実さはあんなふうに表現しなければならない
これ以上ないほど　ぐっと唇を引き結んで
頬にぴたりと押しつけた携帯をぎゅっと握りしめて
これ以上ないほど　うなじを垂れるあの人みたいに
耳はえらになった
魚になった

漂いながれた

プラカードはこれ以上ないほど明るくなる
月は観覧車のように　これ以上ないほど迫ってくる

あのマネキンには瞳がある
あの彫像には瞳がない
これ以上ないほど人間に似せようとして

夜はこのうえなく冷える
怒りはこんなふうに表現しなければならぬ
これ以上ないほど急進的に

家はくしゃりと潰れる
ゴミ収集車が　ゴミ袋を回収するように

最後の父をできるかぎり回収していく
真っ暗な明日が段ボールのように積み上げられている
今日が明日を断崖へと連れてゆく
窓を開ければ風が吹きこむ
あっ、私の匂いがする

反対語

一心にコップのように生きている
コップには反対語がない　洗ったあとに
しばし伏せて置かれているくらい

帽子の反対語なんて知る必要もない
帽子はただかぶって出かけるもの
帽子をかぶって家にいるのは誰かしら
ときにはそれが気になることもあるでしょうけど

瞳　手　唇、あなたを表現するあなたのものにも反対語はない
ついに　とうとう　ようやく、こんなにもせつない副詞にも反対語はない

わたしを大人だというとき
わたしを女だというとき
反対語がシーソーのように向こう側で跳ねあがろうとするのを
ぐっと押さえなければいけない

わたしを詩人というとき
わたしのどんな反対語も無用になる

都市で
周縁の反対側を知るようになったころ
地球の周縁はどこなのかを知りたくなったことがあった
ぐるぐる地球儀を回しながら

いまでは　コップのように生きる術も

ほぼ完成しつつある

郵便受けは反対語を落とす
わたしはコップを落とす
完成の反対語が砕ける

激戦地

あらんかぎりの闘いをすべて経験した恋人の膝からは得体のしれない生臭いにおいがします、知ってはならぬ獣の生臭さが匂いたちます、不穏ね、と言おうとして、平穏ね、と言うんです、かちゃかちゃと匙でごはんを混ぜていると、これまでの日々が赤く混ざってゆきます、二人の未来が互いのうなじで槍の切っ先のように鋭く光ります、きわどいわね、と言おうとして、きれいね、と言うんです、一人がもう一人の前でみすぼらしくなるとき、二人はゆっくりと体をとりかえて重い午後を通り過ぎてゆきます、何もかも告白しつくした恋人の二つの眼には、得体のしれぬ酸鼻が一文字一文字刻まれています、知ってはならぬ酸鼻を賛美に映しかえる互いの眼差しは風霜、あるいは風景、いまではあなたは私の唯一無二の悪夢になりつつあると言おうとして、洗いものをしにいくんです、マッコウクジラが開け放たれた蛇口から流れでてきます、深海に指先を浸して青い血管の中に閉じ込められている赤い血について考えるんです、解けるということと染まるということについて考えるんです、夜にまみれるんです、ありったけの愛をすべてやりつくした恋人の部屋には見たこともない植物が天井まで生い茂ります、得体のしれぬ陰惨な香りがします、知ってはならぬ巨大な果実を膿汁のような果汁が流れ落ちます、なんてこと!と言おうとして、いとおしい、と言うんです、

痛みは若葉の色に

どうして　よりによって虫は
ここをかじって食べたのかな

木の葉を一枚ひろいあげて　あなたが
問いかける

木の葉の穴に目をあてて
わたしは空を見あげる
木の葉一枚に激闘の来歴を読み取る
それはきっと虫にとっては矜持だったはず

そこは木の葉にとっては窮地だから
互いの傷痕で生きるわたしたちのように

だからわたしたちは毎朝
植木鉢に水をやる

じょうろを手にすると　間違いなく
サンタクロースの表情になる

見える？　虫がみんなプレゼントだったら素敵ね
若葉が萌える　どんどん萌える

時が細く薄くなってゆく
痛みがやわらいでゆく
わたしの知る傷痕の数々が色を深めてゆく

緑の隣に青があれば
虹、と言うように

青の隣に紫があれば
痣、と言わねばならない

幸福よりももっと幸福なことを窮地と呼ぶ時間
神秘よりももっと神秘なものを傷痕と呼ぶ時間

虫がもっと
増えたら　素敵ね

木の葉を一枚、ひろいあげたあなたから
若葉が萌える　どんどん萌える

ワンルーム

窓を開け放すと
前の店の屋外スピーカーから音楽が流れてでている　私の部屋まで流れてくる

周囲のあらゆる石から　一つの村の地図を読み取る
アンダーラインを引かないで　一冊の本を通り抜ける

あまりにたくさんの思いにひとり静かにふけっていると
ひとの話を盗み聞きしているような気分になる

夢が終わるとようやくのことで　そっと眠りから抜け出る日々
夢と生のすきまに横たわり　憎んでいたものたちに申し訳ない心持ちでいる

物語はそうやって私のもとにやってきて　私のもとを去ってゆく
ただじっとしているだけなのに　赦しが雲のように流れてゆく
明日の天気になってゆく
からっぽの部屋にトウモロコシのように横たわったまま

一味ども

そのとき　果実が一つ　落ちて転がる
そのとき　鶏が　濁った声で鳴く

托鉢する僧侶たちに食べ物を布施する長い長い
行列が　道を埋める
そのとき　私は　そこを去る

パンが一切れ　リュックの中にある
マンゴーが一個　リュックの中にある
風邪薬が一錠　リュックの中にある

もう十分に理解した世界からは旅立たねばならない　まさに故郷からのように
もう十分に理解した人から旅立つがごとく　あたかも親からのように

さよなら、と独り言するとき
でたらめ、と石の角をコンと蹴ってつぶやくとき

作り物の涙でひざまずいている物乞いが　ひとり
口をぽかんと開けて　私を見る
こんな口と素顔で出くわすとは
汚れた者どもの一味になるということだ

ゆけども　ゆけども　故郷はあまりにも多く
ロバのように耳が地面に垂れる
耳をスリッパみたいに折って履く

三輪タクシーが一台　私の前にやってくる
素早く飛び乗る私の腕の　筋肉が
ぐっと盛りあがる　強靱に見える

夜明け

怖ろしい獣が歩いています　怖ろしい獣を潜ませている怖ろしい森が歩いています　怖ろしい森の咆哮を隠してしまう怖ろしい鳥の悲鳴が響きわたっています

そこから太陽がそろそろと昇っていきます
針葉が冷気を払って　さらに尖ります

悲鳴はどうしたら鋭くなるのでしょうか
丸いシャボン玉が弾ける直前に　私はなにかの悲鳴を聞きました
この悲鳴がこの都市を腐食させてしまうといいのに

手垢のついた言葉たちが失敗へと向かって歩いています
口を閉ざす時間もすでに通り越してきたようです

森の傷跡にはキノコが足の指みたいに生えています　この悲鳴とどこか似ているんです　まだ月も消えぬうちに早くも太陽がやってきます　一緒にいられるかぎりは　死に物狂いで一緒にいなければならぬとでもいうふうに

木が根っこで歩いてきて　私の前に立っています

怖ろしい獣よりも　もっと怖ろしいです
怖ろしいものたちはいつでもまず足を使います　足は怖ろしいです
足が知っているのは疲れだけ　落胆などまったく知りません

第三部

便りが必要

熱帯魚は冷たい

四月は冷たい
四月の石はもっと冷たい
四月の石を手に握りしめる人はどうして熱いのか
あの人はどうして近いのか

床の下に妖精が棲んでいると信じていた頃がある
失われた世界はそこで今も変わらず生きている
その事実だけで熱くなれる

一つの文章でだって　世界に亀裂が走る
ここは冷たいから　もっと有利なはず

よちよち歩きの赤んぼみたいに
閉じられた扉がゆらゆらする
扉にも可能性がある

ビールがのどひこを可視化する
つまみが奥歯を可視化する
わたしたちに代わって対話する

対話は記憶していたことを失わせる
四月は遺失物保管所なのかもしれない

釜に蓋がなかったなら
米粒は飯粒を受けいれがたかったことだろう

熱い飯に冷たい匙を入れるのは
どうして技藝にも近いのか

手の凍えた者は手袋をする
手首を切った者は腕時計をする

扉が開く
冷たい風が吹き込んでくる

海は四月の気候を集める
くらげは熱い　エイは近い
熱帯魚は冷たい
深海魚は私の部屋を覗き見る

重なりあう椅子

座る?
椅子が椅子に言った
うろうろしていたいんだ
椅子が答える

木々が立っているものだから
横たえてやろうと　嵐が襲いかかった
わたしたちは横たわる木を見て
災いを占った

眠っている人の少し開いた唇が

きまってあどけなくなる時間に

季節が変わり
枝分かれして開いた隙間もそのまま　木は鳥に
枝を差し出しはじめる

椅子ひとつがその傍らにいて
木陰で椅子はやすんでいる

人びとは気安く
椅子に座る

ほんのつかのま　疲れを忘れるために
カフェの窓辺に座っている少女に
きまってひとりの男が近づいていくように

椅子になったら椅子には座れなくなる
人になったら人を愛することができなくなる

椅子が椅子に座って　その本分を忘れる時間
わたしたちは災いを占うけれど
果実のように愛は落ちてゆく
口をすこし開いたまま

望遠洞

いまは一日が
前かがみに歩いてゆく
段ボールを拾い歩く老人みたいに　後ろ手を組んで

光る小石を拾った
まんまるの中のまんまるな温もりを
手のうちにぎゅっと握りしめて

十　年　前　の路地を歩いた
柿の木もそのまま、お風呂屋もそのまま、公園もそのまま、
壊れたおもちゃたちもそのまま

人形を一つ、拾った
眼球が一つないだけで悪魔みたいに見える
天使の顔をなでる

わたしには便りが必要
何事もなかったという便り

あまりに多くの木の葉がはらはら散り落ちていたけれど
たすけて、なんていう絶叫は
聴こえない
聾者の手話のように
日がな一日　木の葉がはらはら散り落ちる

もうすこし暗くならなくちゃいけない

微かな光をすべて見るには
もっと微かな光であの頃の家を訪ねてゆくには

まだなにも到着してはないけれど
待ちつづけていた人に出会ったみたいに
もう祈るのはやめる

十　年　前の一日を拾って　ポケットに入れる
無事　夜がやってきたのだ

外に生きる人

バスにいちばん長く乗っている人は
いちばん外で生きている　そこは寒い

バスでコートを脱いで　置き忘れて　終点で降りたことがある
よその国　熱い都市の空港だった
はだしで飛行機に乗って　もっと遠くへ私は行ったのだった

隣の席には
同じ歌が好きな人が座っていた
その人のイヤフォンから歌がシャカシャカと漏れ聞こえたとき
同じ別れを経験した人だとわかった

あのとき　あのバスに　いちばん長く乗っていた人は
私が置き忘れたコートをしっかり着込んで
惨酷な冬へと無事に入っていっただろうか？

バスの終点ではせめて
コーヒーの自販機が月よりも明るいとうれしい

小銭を入れて　手を差し込んだら
生きている獣の腹の中から取りだした心臓のように
熱いものが手に触れるといい

足が凍えない国もある
あてもなくバスに乗る国もある
かと思うと　はてしなく歩かねばならない国もある

疲労はもっとずっと大きな疲労によってのみ解決することができる
とりわけ愛がそうだった　だから
外に生きる人は
行けるかぎり　もっと遠い場所へと行こうとする

郵便受け

私たちは毎日引っ越しをしました
おとうさんには日付が大事で
私には日和が大事でした

おとうさんには屋根が必要で
私には壁が必要でした

おまえが生まれたときに送った手紙が
なぜ届かないのか
どうやら、おとうさんは、ここで暮らさなくちゃいけないらしいな

郵便受けはおとうさんの家になります

ひきだしにはおとうさんの臓器提供同意書
私がはじめて受け取った返信になりました

日付は不要に育ちゆき
日和は不吉に老いゆき

寒い　そんな言葉は禁句になってゆきます
満月が出た　そんな言葉は消えてゆきます

見知らぬ家畜たちがぶるぶる震えています
おとうさん、と呼ぼうとしてやめました

嘘

人波をかきわけて　盲人が通りすぎたんです
善良ならぬ者たちが　しばし
善良な者になれるよう

ポケットでじゃらじゃらと音をたてる
小銭何枚かをザルに入れてやれば
いい人の完成ですね

１９４０年代までは
青は女性的な色で
桃色は男性的な色だったんですって

女性的な話をひとつ、
隣国の大地震がニュースで
報道されると　私は涙を流し
友人は私に
人類愛があると言ってくれました

もしピノキオが
ほら　ぼくの鼻が伸びちゃうよ
と言ったなら　鼻はどうなるのかな

クレタ人はみんな嘘つきだから
クレタ人だけがその答えを知っているよね

男性的な話をひとつ、

武器を手にしていないと安心させるために
人類はまず最初に握手を発明したんですって

いい子ねと
おかあさんが頭をなでてくれるたび
私の心臓には灯りがともったようなんです
嘘を吐いた瞬間にもね

ガムを嚙むと　胃腸は
消化の準備をするんですって
ガムみたいなものよね、
何も起こりはしないということね

ほこりの見える朝

静かに静けさをきわめる
覗きこんできた陽射しが部屋の片隅を白く切り取るとき

体をすっとのばして横たわって　次の人生につま先で触れる
ゴム跳びのひもを踏んだだけで　死んだ、と思った幼い頃のように

私は私なりに
極楽鳥は極楽鳥なりに

ほこりはほこりなりに　静けさを静かにきわめる

誕生日

白米が炊きあがってご飯になる奇跡を待っている
食器をきちんと揃えて伏せて置いて
乾くのを待つように

青々としたものたちの先っぽを摘んで　冷たい水ですすぐ
生臭いものたちの傷口を広げて　内臓を取りだす

この部屋は待合室の構造をもっている
停留所を一つ　また一つ　憔悴と疲労とを通り過ぎてきた人が
長椅子に長々と横たわれば　構造は完成する

悲しみを悲しがる人は　ただただ悲しく見える
人であるということに疲れはててゆく者だけが　ただただ人間らしく見える
安息と平和を冷蔵庫から取りだして　朝食を用意する

よからぬことを撫でおろしてくれた
大きな大きな二つの手が　屋根の上で翼のように羽ばたくとき
陽射しが家の中をすみずみまで照らすとき

わかめがその身を膨らませてスープを作る奇跡を
醤油の匂いと胡麻油の香りが支えている

肉片を剝ぎ取ったかのような黙想が
涙のように食膳の上にポトンポトンと落ちる
しゃがみこんで　膝をかかえる

風船人間

父が言った
そんなことするな

そのとき
父の唾が飛んできて　頬にピチャッとくっついた
そんなことをしないようにしたら、到底そんなことをしないわけにはいかなくなった

父はわたしの手を軽くつかむ
最善を尽くしてわたしは緩くなる

わたしを見ていた子犬が
耳を垂らして首をかしげるように
父の余生が折りたたまれて　かしいでいる
思い出をめくるほどに　悲しみがゆらゆら揺れ動く

災厄は恩寵だった
生まれかわって　最初からやりなおせばよかった
どのみち　どうということはなかった

洗濯ひもには父の靴下だけが裏返しでかかっている
洞窟みたいに奥が深くて暗い
少しくたびれた父の怒りがはためいている

母が言った
わたしがいつそうしたというの

そのとき
母のため息が飛んできて　額にとまる
そうしなかったことにすれば　まったくそんなことはあるはずもなかったことになる

坑

窓辺に置いた
青い松ぼっくりが日々鱗《うろこ》を開いて咲きほころびます　その横に置いた蟬の抜け殻には何も起きません

このごろ　多くの日々を
虫となって眠り　人となって目覚め　人として眠り　植物となって目覚めました　植物として眠り　物となって目覚めました　あまりに独りだったので　時間がぶくぶくと肥ってゆきます　一日に一歩ずつ歩きます　日付変更線が茂みのようにやたらと足首にからみついて　困惑の表情を浮かべます

アオダイショウのように塀を乗り越えてゆく影

ひんやりとした甕にからみついてとぐろを巻く影
光の骨を舐めて消えてゆくカラスのような影

一つの影が一つの穴に見えるようになります

窓辺では
洗っておいた白い運動靴が虫のようにぐにゃぐにゃしています　明日の朝
独り目覚めたときには　死んだ人に会ってきた幸福な顔になっていること
でしょう

別れる者のように

別れる者のように
言葉は静かに口の中にしまったね

雨が降って
痩せ細った木の枝の節ごとに
水の雫がきらきらと
クリスマスツリーの飾りみたい

わたしたちは雫の数を
はてしなく数えたくて
二万二千二十三、二万二千二十四……

わたしはそっと起き上がり
生まれて初めてのように手足を動かし
お茶をわかし

スプーンをかちゃかちゃ鳴らして
あなたは生れてからずっとそうしてきた者のように
長い時間砂糖を溶かしていたね

太陽が少しずつ傾いていった
ベランダの植木鉢は
影を少しずつ動かしていった

贈り物のように心臓から何かをとりだす
わたしの手のひらには黒い

石が一つ

お返しのように何かを肺からとりだす
あなたの手のひらには白い石が
一つ

別れる者のように　わたしたちは
無口な石になったね

内面の内情

葉書を書いています　あなたに書くつもりが　私に

ずいぶんまえに暮らしていた住所をまず書きました　葉書の大きくはないスペースに猫が来て座りました　猫がどくまで鉛筆を置いて　猫がどくまで鉛筆が自分の影を抱きしめて横たわっているのを眺めて　そして鉛筆と鉛筆の影との間を這ってゆく蟻をじっと見つめていました

朝に洗面台で出会ったひきがえるのことを葉書に書くつもりが　鏡の中で出会った黒い顔のことを書いています　馴染めなかった顔とすっかり馴染んでしまった卑しい者のことを

パンのかけらで祝祭を開く蟻と
パンにジャムを塗って空腹をしのぐ私の間に
つかのまの親愛が芽生えています

葉書を書いています　私に書くつもりが　ひきがえるに

すこしまえに会った誰かを　すこしまえの感情で回想しはじめて　葉書に絵を描いていました　描いた絵を消していました　消しゴムが絵をすっかり消し去ってしまうまでのあいだ　鉛筆が自分の影と抱き合って横たわっていたそのとき　遺書を書くつもりが　恋文を書くことになった人のことを考えます

熱い湯を入れた湯たんぽを抱きしめたまま
眠りに落ちたと書こうとして
この部屋を使っていた人たちが耐え忍んだであろう寒さが

布団になってくれたと書いています

誰かが隣でしきりに問いかける

あんずの木の下にすっかり熟したあんずが落ちてころころ転がるように
私が立っている場所にあまりに多くの質問が
到着している

他の花が咲いていた場所に咲く花
他の誰かが死んだ場所に暮らす一家
何度でも誰かの傍らにいようと　何度でも生まれかわる

私たちは同じ人を分かち合ったことがある
同じ悲しみをよく懐かしがる

自分が何者なのか　さっぱりわからなくなるたびに
私はあなたなのだと　信じていたこともあった

かつての恋人たちが　しきりに現れて
みずからの物語を重ね合わせて書こうとするたび
私たちは同じ人になってゆく

あなたはアラーの顔に
イエスの表情が滲み出てくるのを見たと言った
いまでは　私の足どりに
あなたが滲み出ているのを知っているかと
あなたに問うてみた

私たちは
二つの海が出会う海岸に

到着している

年老いた幼子が　陽光の中に腰を下ろし　海を見ている
海から問いが尽きることなく押し寄せてくる

私たちにとって変わったのは場所だけだったのに
いつのまにか　私たちの記憶は違うものになっていた
私は違う人になった

ふたり

抱擁はあらゆる者を排除する
ただひとりを除いて
——ライナー・クンツェ

黒い喪服を着た影たちが
わたしたちにかわって黙禱する午後
陽光はかぎりなく恩寵を濫費している
円い広場が円くなる

四角い広場が四角くなる
脊索動物たちが噴水のように噴きあがる

ふたりがしばし抱き合えば
サボテンにトンボが飛んできて突き刺さる
翼を広げたまま安らかに

かぼそい呻きが髪の毛を揺らす
人間になりたくて　したたらせた血の雫が
赤い色の雲を集める

今日は
偉大なる最後の日が
秘密のように物寂しく私をかすめていくかのよう

天使たちが人知れず
翼を折る音だと　人のいう
ばらばら　ばらばら、雨音が聞こえる

秘密の花園

冬の酷《むご》さを忘れるのは花たちの特技、
何も言わずに咲いては散る

花にむかって
過ぎ去った沈黙を責める者はいない

できそこないの者たちが　できそこないの心配ででしゃばる
できそこないの季節の　でっぱった時間

うすよごれた素足を草原に投げ出したとき
うすよごれた靴は花瓶になった

自分の姿を想像するのは
花たちの特技、かぎりなく色艶めくことに耽る

わたしはどうにか沈黙する
いまここに至った至難の愛が　しばしとどまっては　旅立っていけるように

わたしたちは同じ匂いを放っていた
砂利道が　騒々しい音を立てていた

傾きについて

——シン・ヘオク*に

ここは大丈夫
中綿がはみでた熊のぬいぐるみみたいに
わたしたちも尻尾を出しても大丈夫

こっちにおいで、なんとかして歌を聴こう
揺らいでいるわたしたちの浅はかな部位を歌で支えよう
小銭、花札、床板の端切れみたいに

一つで足りなければ
二つ重ねて　それでも足りなければ

三つ重ねて

たとえば
外国で食べたキムチチゲみたいに
とんでもなく適当なのに　そのときにはとんでもなく美味しかった
あの奇妙な味を覚えておこう
あのぞくぞくする飢えを覚えておこう

秋の陽が
貧しき者の体内をX線のように透過するとき
黒い影がつまさきでゆらゆらゆらめくとき

窓の外の闇が黒い石のように艶めくまで
わたしたちの膝が玉葱みたいにすべすべするまで
床に置かれたぬいぐるみみたいに横たわっていよう

夜がやってきて
わたしたちの黒い思いの数々で夜はさらに深まった
ということにしておこう

ここは大丈夫
沈黙がボールのようにぽんぽんと跳ねていって　じっと静まっているから
折りそこなった紙飛行機みたいに
傾いで横たわっていよう
熊のぬいぐるみの隣の　熊のぬいぐるみのように
たがいに寄り添っていよう

＊　シン・ヘオク（一九七四年〜）一九八八年世界日報新春文芸で当選、創作活動を開始。詩集に『簡潔な配置』『syzygy』等、エッセイ集に『一人用の本』（いずれも未邦訳）等がある。

第四部

河と私

異邦人になる時間

四つ足の獣が疲れきった足を舌で撫でさする時間。洗って干してあるだれかの運動靴が太陽の下で乾いてゆく時間。陰さえ与えられたならば、きっと禿げ犬が一匹、ぐっすりと眠るにちがいない。体の外のものがみな、ぶらんこのように静かに揺れている。

（深い夜という言葉はあるけれど、なぜ深い朝という言葉はないのだろう）

丘の上の寺院にはかつて監獄がありまして、監獄では石の隙間の小さな亀裂にむかって、果てしなく独り言を囁きつづけるお姫様がいたんですって。監獄はお姫様を閉じ込めることはできたでしょうが、その囁きだけは閉じ込めることができなかったんですって。囁きは人間の退化した郷愁をひろいあげて、霧のように散り広がり、やがて夕立のように私たちの頭の上に降りそそぐんですって。私たちは雨に打たれるでしょう。生ぐさい水の匂いを嗅ぐでしょう。ネムノキが数百本の腕を大きく伸ばして広げて、このあらゆる恩恵を受けとることでしょう。この天地のすべての黒い木々が木であることを免れる時間が来ることでしょう。

人がボートにモーターをつけることに専念してきた時間。川の流れはカワセミの羽ばたきをずっと見つめつづけて、やがてその手のひらを翼のようにパッと広げたことでしょう。そうしてごつごつした岩をくるくる丸くしたことでしょう。その岩がいくつも丘の上へところころ上がって寺院の塔になる時間。誰もここにはいなかったはず。そういうときには、いつも、私たちはそこにいはしない。ただ水辺に家を建て、愚かさを子どもに教え、子どもの額の真ん中にしこりを刻みつける。激烈な問いをいくつも胸に宿して、子どもたちは落胆したまま故郷をあとにする。川の流れがもっと厚くなるまた別の朝。水辺で脇の下を洗い、またぐらを洗う父母たちは自身の善意を省みるることもなく、数多の朝を迎える。

さて、私は寺院の向こうの市場の入口で、ほこりをかぶって白くなって、うとうとしている小さな郵便局に行こう。あなたの問いに対する私の問いが生まれいずる朝。私はじっと下唇を噛んで、石段に腰を下ろして、川面に映る黒い顔を見ている。

（今朝見たものは、明日の朝にまた見ることができるでしょう）

今日は何をしようか。裸足の人たちが両腕を精いっぱい使って、平らな岩の上で布団を乾かす時間。強い雨は昨日のことで、激しい川の流れは今日のことになる時間。

河と私

今なのだと教えてあげる、河が流れていると、深くはないと、小さな舟に小さな艪があると、河を渡る準備がすべて整ったと教えてあげる、

腰をかがめて髪を洗い、腰をのばして髪を梳き、陽光で髪を乾かし、岩に腰かけていると教えてあげる、オリオン座が頭の上で輝いていた夜と素朴な雲が太陽を隠していた昼に、地球の向う側のある国で、あなたが尊敬していた立派なお方が死んだという知らせを私も聴いたと教えてあげる、

石ころは丸くて、草はやわらかいと教えてあげる、私は食を断ち、煙草を断ち、時間を断ち切ってしまったと教えてあげる、日没が押し寄せてきて、知るすべもない昔の歌が流れてきて、裸の子どもたちが裸になり、泳いでい

る魚が泳ぐ河辺、

根っこを河の流れに浸している無花果の木が根っこを河に浸し、跳びはねる大きな魚がおじいさんの魚籠《びく》でひっきりなしに跳びはね、この大きな魚を焼くためにもう少ししたら薪で火を熾すだろうと、

くねくね流れる河に沿ってくねくね曲がる道が通っているこの場所で、くねくね曲がる道に生きるくねくねした人たちと一日じゅう散歩をしたと教えてあげる、大きな木の木陰の小さな木、かぼそい木橋の下のかぼそい木の橋脚がやっとのことで息をついていると、

遠くからひとりの人がおかずを載せたお盆を手にそろりそろり歩いてくると教えてあげる、魚はカリカリしていると、素敵な匂いがすると、匂いが漂いでていると、どきどきすると、お腹が空いてひりひりすると、もう準備は整ったと、今なのだと、教えてあげる

第五部

遠い場所になりたい

未来が降りそそぐなら

私は遠い場所になりたい

レールに耳をあてて
遠い場所の音を聞いていた子供の心で
もっと遠い場所になるためには何をしなければいけないのだろうか
夢の中なら子供になることもできる
悪夢をみることもある

体がしきりに羅針盤の針のように震える子供になり
なにか間違いをしでかしたのではないかと思い悩んだり

体がしきりに旗のようにはためく子供になり
愚かな恋におちたのではないかと思い煩ったり

兄弟の中でいちばん最初に生まれて十日間だけ生きて逝った
子犬の心で
あのほのかな体温を抱きしめてお墓を作りに行く
子供だった心で
夢から覚めるのだろう

泣くんじゃない、泣くんじゃないよ
と　トントン叩いていたお母さんが実は
自分が泣きたくて　そうしていたことに
気づいてしまう子供になるだろう

そんなとき子供たちはここに来て

見知らぬ人に手を振る

夢ならば束の間の抱擁となるのだろうけど
不幸なことに夢ではないから　出てきたまま

その場で大人になってゆく
ついには何を待っているのかも忘れてしまって

通りすぎてゆく汽車に手を振る
真っ黒な子供だった心で

いま私は通りすぎてゆく汽車になりたい

あてもなく手を振る子供たちは
どこにでもいるということを知りたい

失敗の場所

わたしたちが会った場所のことを考えてる
わたしがもたれて　ため息をついたあの壁で
あなたは両の手を合わせて亀裂にあてて　願いを言葉にしていたね

わたしは午後三時に
あなたは午前三時に

花びらを食べました
どうせ萎れて散り落ちる花びらなんです
こんなにたくさん食べたのに　どうして空腹なのでしょうか
凍えた耳をこするたび　わたしたちが会った場所のことを考えてる

飛び散る血のように悪夢をほとばしらせて　あなたがうたたねしていた、
電球の割れた街灯のような情けないさまで　わたしが迎えに出た、路地

今日はどうか眠らせてください
キリンとゾウと野ネズミ　そして植木鉢がひとつ
わたしの荷物は　これで全部です

午前三時のあなたが
午後三時のわたしを

訪ねてきた日のことを　なにかとしきりに考えてる
凍えた足を木のように植えてしまいたかったのですが
なんだか土にもうしわけなくて　やめておきました
倒れて横たわるすべてのものが
ふとんに見えたあの町のことを考えてる

落ちて熱を放つ星ひとつ　灯りのない店々
おなじ悪夢をともに見た、
おなじ願いをともに捨てた、あの場所

ふとんの不眠症

あなたはまるで
ふとんを眠らせてあげるために眠る人みたい

あなたの胸に抱かれて
若草色のふとんがそろりそろり寝返りを打っているね

胸に抱いているものが
孕んでいる毒をすっかりそのまま
わが身に移しとる人のように
遠いところを想う者の表情をしている

毒虫のように
尻尾の先や頭をぴんと立てるかわりに
いつも口角を上げてる

ふとんを寝かしつける人のように
あなたの眠りは丸いね
大きかったり小さかったりする丸いものがシャボン玉みたいに
あなたのまわりにぷかぷか浮かんでいるね

あなたは横向きになって
どうか、お願いです
祈る人のように両手を合わせて
ぐっすり眠っているね

これは夢じゃない

語られないことは　最後に残されたあなたの告白のようで
託されたこととして　私はそれを聴きとる

ふとんはエメラルド寺院の涅槃仏のように横たわり
あなたの肌に触れているね
あなたは肌から目覚めつつあるね

広場の見える部屋

からっぽの広場には音楽がなくてはならない
そうすれば影はさびしくなくなる　それならば踊ることができる

遠い国では　燃えあがったひとりの人間が　国じゅうを燃えあがらせたんだ
　そう
熱く広く　熱くめらめらと
花に舞い降りる直前の蝶のように　ふるえながら　ふるえながら

古びた城跡で蝶を見た
むかしむかし　降りそそぐ矢を横切って
蝶が大きな放物線を描いて飛んだ

燃えあがったものたちが揺れる
揺れながら　もっとたくさんの単語を集める
おもりのように揺れて　揺れて
明日にはもっと激しく揺れるにちがいない

雲は雲をめざして流れていった
舟になるためなのだろう
窓を開ければ　海がどっと流れ込んでくるだろう

四角い広場には四角いエイが
拓本のようにくっきりと浮かびあがってこなければならない

それでこそヒレのように　カーテンは
泳ぐことができる　もっと広い海をめざして

そこで悲惨に死のうとも　困窮のうちに生きようとも
果てを見ることはできる

明日はわたしたち
憐れな魚たちにも影を描いてあげよう
遠くから火影が落ちてくるように
思いのほか大きく

幸いなること

雨が降る、雨が降ると簞笥からカーディガンを取りだして着る、カーディガンを取りだして着るとポケットに手を入れる、ポケットに手を入れると貝殻に触れる、朝

雨が降る、出所不明の貝殻ひとつが過ぎ去った季節のすべての海を呼び寄せる、すべてが違う波、すべてが違う泡、すべてが違う陽光がすべてに等しく影を贈る、過ぎ去った季節の記憶にない海

今はもう少し遠くのことを考えよう
ロンドンの傘
ケベックの雪だるま　アイスランドの毛皮の帽子

あんまり寒々しいのなら、

ボンベイの毛布
モンテビデオの漁夫の胴長靴

雨が降る、蛙が雨のように降りそそぐ、いつか本当の雨が降る日は本当の日、本当の雨と本当の傘が出会う日、天の病は私たちの病なのだとバトンを受け取る日、
雨が降る、

雨が降れば箪笥の中のカーディガンの中のポケットの中の貝殻の中の海の中の魚たちがもっと深い海へと泳いでゆく、みなが同じ浮袋を持っているとしたら？　雨が降ることなどなかったはず。

雨が降る、ああよかった

メタファーの質量

最初わたしたちは耳だったはずです、たぶん。あたたかな単語と単語がポケット辞書のようにゆらゆらしている耳たぶだったはず、たぶん。あのときわたしたちは辞書の素肌を覗きこみましたね。ここの2ページ、同じじゃないですか？　乱丁本なのかしら？　それから、わたしたちは器だったはずです、ひょっとしたら。アイスクリームをカップによそうようにして生きてきた日々の独白が溶けて流れ出ないよう、ちっちゃな器みたいに身をすくめなくちゃいけなかったはず。あのときのわたしたちは美味しかったですね。あのときのわたしたちは両掌《てのひら》みたいに密着していたはずですね。告解みたいなものだったはず、どうかすると。イチゴ味とメロン味が渦のように混じりあった頃には日が暮れていました。そのあとのわたしたちは互いの記録でした。手首が手を逃す瞬間について、時計が時間を逃す瞬間について、天と地があんなふうにして地平線を作るみたいに、上唇と下唇をそんなふうにして沈黙を作りましたね。背後には流れ星が一つ、また一つ、流れ落ちていましたね。それからわたしたちは鈴になりました。動けば音を立て、止まれば静まり返る、丸まって熱中する共鳴筒にもなりましたね。歓喜雀躍すすり泣き、ケラケラ大聲慟哭、恩寵のように、トカゲの尻尾のように。わたしたちはついに流れる水になりましたね。わたしたちはついに見つめあう水になりましたね。いまや、わたしたちは問いになる時間です。それは盲《めし》いた者が家への道を心のうちで思い描く時間。はかなくはありません。はてしなくはありません。ひとり発音する安否を尋ねる言葉が早瀬の水のように流れゆくここは、どこの国のどの路地なのでしょうか。これは不時着なのでしょうか、到着なのでしょうか。さてさて、わたしたちの数々の問いは落書きなのでしょうか、呼びかけなのでしょうか、いつの日にかは祈り、なのでしょうか?

終バスの時間

バスが出発の形をとって
わたしたちを通り過ぎていった
遠ざかっていったとも言えるが
あれは出発だったのだ
遠ざかり方はどれも似ている
後ろ姿を長いあいだ見つめさせる
バスは停まるたびに人々の肩を揺する
家にさえ帰れるなら　こんな揺れは

なんでもないことだ

朝になると部屋から私を取りだしては
夜になると部屋に戻す大きな手
恵み深いものについて考える

イモを育ててからというもの
時間もまた　どれだけぐんぐんと育つかということを知ったように
悲しみのあとには　さらに長い長い悲しみがやってくると感じられるように

なにかが勢いよく育っているのだけれど
予感は不可能になる

びゅんびゅん通り過ぎるものたちが
私の息で曇るとき

冷たい硝子窓を手のひらでさっと拭うとき
不幸にも一寸先が見える

体があたたまることをそっと静かにやってみる
ボタンをとめて　ポケットに手を入れる

在ること、成ること

紅玉があったんです
偶然出会った農夫がくれたやつ

川面では雲がゲルニカを描いていて
絵の角を折っている石がひとつ、
雨だれを乗せたまま碇泊しています

あひるがとことこ歩いてきて
そこかしこに　首を突っ込みます

すべてのものが踊っています

音楽はないけれど
風はあります

在るものたちが　ずっとこんなふうに在るときには
わたしたちは待つものになるんです

黄緑のバッタどもが草原で
ポップコーンのようにポンポン飛び跳ねています
私はゆっくり輪を描いて広がって
等高線になります

雨音がリュックを打てば
どこからか　かまどの火を焚く匂いがやってきて
私はお腹をすかせた人になります

リュックの中には紅玉
誰かがひょいと持っていくよう
川辺に置いとかなくちゃいけません

誰か
そこに在るものを　ただ手にとった人が
その誰かになるんでしょう

二十回の二十歳

ある人が踏切を渡り切ったとき
白い踏切がはしごのように立ち上がって　いずこかへと消えるということ
そんなことを目撃する

ある人の肩を愛するようになり
かばんをプレゼントする

だれかが傍らにいてくれようとも　顔色なんかうかがわない二十歳のように
だれかの傍らにいようとも　顔色なんかうかがわない
二十回目の二十歳のように

手をどうしたらいいのかわからないという
ある人に　楽器を贈る

そうして
手の上に手を重ねて　眠る人になる
私の手は私を知らないから
素直でやさしい

人がひとり過ごす時間について想像する
そうして私は私の部屋でゆっくりと踊る

そんなことを経験する

沈黙の中で踊った独りぼっちの踊りのように

実に実にとるにたらないものであっても
実に実に素敵な
そんな一日がやってきては去ってゆく

ほんとにほんとに楽しかった

突然に力いっぱい歌いだした
燃料が切れたおんぼろ自動車みたいに
あなたは次の小節を力強く引き継いだ
行進するみたいに元気に歩いていたはず

同じ歌をうたえば
同じ口の形になる
同じ時間に
同じ道で

角を曲がって
同じ言葉を同時に言うことだってある
「わっ、満月だ！」
みたいな

角を曲がっても
夢は曲がったりはしないという錯覚を
わかちあう

汗をだらだら流す雪だるまに
掌甲《てぶくろ》をはめてやることもできる
装甲車に花を挿してやるみたいに
街灯が消灯になる
わたしたちの影が消える

あの角を曲がったらわたしたち、幽霊になろうよ
塀際のゴミ袋から
とかげが花をくわえて這い出してくるみたいに

隠れているものだけを信じることにする
屏風の後ろに潜む死体のように
わたしはあなたの背後に　あなたはわたしの背後に潜んでいる
ほんとに　ほんとに　楽しかった

ガリバー

窓の縁に
銀の霜が降りる朝と
木蓮が溶けて流れる　あたたかな午後の
あいだを

どうしたって結ばれはしない
あまりに遠い隔たりを

はじめて
日較差と名づけた人を
愛する

ぴんと張られた洗濯ひもから
ゆらゆら　いまにも滴る雨の雫の心で

＋

コーヒー豆を摘むケニアの娘の黒い手と
モーニングコーヒーを淹れる私の黒い影の
あいだを

たどりつくことのできない　遠く遥かな大陸を渡っていった
アラブの商人の黒いサンダルを
愛する

世界地図を生まれてはじめて覗き込む

幼な子の心で

＋

生きよ、何人《なんぴと》であれ、生きつづけよ
そう書き遺して死んだある詩人の言葉と
長生きしたからこんな目に遭うのだという年老いた父の繰り言の
あいだを

徒競走の選手のように
朝夕を往復する者を
愛する

私が出した手紙が舞い戻ってきて
私みずからふたたび読む

心で

＋

出口なき生に
扉を描こうとしていたであろう
あらゆる土地の　無数のひそやかな死を

愛する
季節を失くした季節に咲く
思いもかけぬつぼみを眺めやる心で

玄関

開け放しておく

床にほうきをあてる
今朝のほうきは床を掃かない
床のタイルを撫でている

あなたが来たら　まず最初に

誰かが来ることになっている日ではない日にも
毎朝玄関前に色とりどりの
コーラム*を描く

インド人の話をしてあげなくちゃ

生い茂るボストンタマシダを玄関前に置く
あなたがやってくる日だから

開け放しておく
時間が少しずつ折り畳まれてゆく
時間が少しずつきれいに整えられてゆく**

夜のあいだに
生まれてこのかた　失くしてばかりの傘がみんな戻ってきて
うず高く積み重なっている
生まれてこのかた　濡れるばかりだったであろう傘を
ひとつ　ひとつ　開く
開いたままにしておく

あなたが来たら　まず最初に

これを見る
わたしの家を
七月の葡萄の房みたいだと言ってくれたらいい
でなければ　八月の桐の木

開け放しておく

＊　インドで家の玄関に米粉や小麦粉で描く床絵のこと。神、人々や生き物を招き、災いを遮断して家に繁栄をもたらすとされている。

＊＊　黄真伊《ファンジニ》の詩「冬至月」を下敷きにした表現。「冬至の月（霜月）の長い夜を真ん中から切って春風のように暖かい蒲団の中にぐるぐる巻いて入れて　恋しいあなたの訪れた夜に、万遍なく広げよう（あなたとの夜が長くなるよう）」

解説

凛々しく悲しく

ファン・ヒョンサン

ソヨンへ

タイから二回、ヒマラヤのどこかの山麓から一回、そしてトルコから南に向かっていたときに一回、君は私に葉書を送ってきたけれど、僕は君に返事を書いた記憶がないんだよ。君はくるくると住所を変えて動きつづけているから、返事を書き送ろうとしても送りようもないじゃないか。君がどこかに定住していたとしても、おそらく事情は変わらなかっただろうな。仕事で差し迫っているわけでもないのに、白い紙をじっと見つめているなんてことはまっぴらごめん、という僕の性格も性格ではあるけれど、なにより君が返信など待ち望んではいないのだと僕は信じていた。とはいえ、心の借りは増えていくわけで、どうにかして僕は自分自身を力づけて、この借りの重荷から脱したいものなんだ。そんなときには、軽く讃嘆するように一言。「凛々しいソヨン」

君のことを凛々しいと言うほかないのは、君はいなければならぬ場に必ずいた、ということだけではない。君は君自身が運営する子ども図書館の館長だったし、詩を教える先生だっただろ。君は龍山《ヨンサン》の詩人だったし、江汀《カンジョン》の住民たちとは顔なじみだったろ。言うべきことはすべて言い、同時に、いつでも君は時間を見つけてはこの世で一番深いところまで潜っていって、一番深い思いを掘り起こす術を知っているんだ。でも、なによりも君のことを凛々しいと言わしめたのは、泥沼を突き抜けてワングル（カヤツリグサ）のように勢いよく伸びていく君の詩の言葉だ。僕は君のことを考えるたびにきっと、あの一言を口にし、君の第一詩集『極まる 극에 달하다』のあの長い詩、いや長い詩ではなく長いタイトルの詩、「海を見に行かなくては」という言葉ではじまる五行ものタイトルのあとに、ようやく本文に入るあの詩を、たぶん思い起こしているんだ。「歳月を水を使うように使っていたあの頃に会いにいかなくては」というあの詩を、誰が忘れることができる？　君は間違いなく感情の財閥だった。経験したこともない激しい風が窓を揺らしている、そんな場所で愚かしくも荒々しく摑みかかってくる感情の手と闘い、机に向かって花瓶のように座りつづけて、ついには心にふつふつ湧きおこる力を浪費してしまったと君は嘆いた。だから、楽器のからっ

ぽの共鳴筒よりもっとからっぽの君は、君の人生の目的は千年眠ることなのだと言い、君の眠りこそが時代に対する礼儀であり、慈悲なのだと言った。時代は君の感情を搾取することもできないのだから、当然のことだ。時代は君の感情、他者の感情、すべての感情を、廃車場の古鉄の山のように幾重にも積み上げて錆びつくのを待っているのだから、当然のことだ。僕は君の千年の眠りを凛々しいと言う。その眠りの海を、その果てしない海原を、君の眠りを破ることなく文明とも言えぬあらゆる文明を飲みこむあの波を、凛々しいと言う。夢の広く長い波動でこの世の地形を変える君の眠りの海よりも、もっと巨大な反逆を、僕は想像することができないんだ。

ところが、君は、この悲しき祖国の善良なる美しき娘、千年眠ることができなくとも、——後始末もできないものばかりを溜めて、また溜めて、ばたばたと生きてきては、生きてゆくことになるすべての人間どもの、ちっぽけな怒りや苛立ちを抱きしめて、はてしなく揺れて波打つあの海に出会うことができずとも——君の立つ場所がどこであれ、君は波となって、ほとばしってはまた波となり、波となってはまたほとばしってやむことがないんだ。北極星を目印に道をゆく者が北極星にたどりつくことはないと言ったのは、たぶんティク・ナット・ハン禅師だったな。人が海のごとき眠りを夢見るのは、必ずしも海になるためではないだろう。揺れ動くありとあらゆる感情と意志を抱きしめて千年眠ることこそ海の業、海は君の目の前でゆらゆら揺れながらあの遥かな場所で眠り、君はしばし夢を見ながら、あるいはぴくりと身を震わせながら、今この瞬間の波となって、あの遥かな海を実践しているんだ。あの遥かな海は、今この場所で実践すべきを指し示し、君は君の絶えざるため息で、悔恨で、促しで、千年をゆらめいて眠るあの海の存在の証を立てるんだ。この生の端をつかんで、あの生の片隅を立ち上げる、この悲しき反逆をどうして平凡だなんて言えようか。

凛々しいソヨン。

君の新しい詩集は悲しみでいっぱいなんだな。僕が悲しみを言うのは、詩句のまにまに生の孤独な情景が逆立っているからではなく、理解されえない真実の数々が忘却の水たまりを形作っているからでもない。相も変わらず君が、日常の曲折の中で浪費される心を海のような千年の眠りによってのみ回復しようとしていると思うからでもない。僕が悲しみと呼ぶものは違うんだ。すべての感情と意志の無辺なる貯水槽が、あの遥か彼方にあるのだが、君は瞬間の波を実践するたびに、あの全き海をしばし忘れねばならないことが不安であるかのように、いつにない仕草、いつにない声で語るんだ。家の裏に稲束をうず高く積み上げた農婦が、刈り入れも終わった田んぼで落穂ひろいをするときには、その稲むらのことは忘れてしまって、落穂でいっぱいにできなかったざるのことばかりをやるせなく思うように、君は、朝めざめて窓を開けるたびに、君の心の深いところに大切にしまっていた海が、君の指先の小さな波へとしぼんしまったのではないかと心配しているんだ。でも、一握りの波を捨てて、また一握りの波をつかむのでなければ、いったいどうして海を記憶することができようか。あの遥かな海にしたところで、浜辺のさざなみがすっかり回収されてしまったなら、他の何をもって海になることができようか。いや、君に問うまでもないことだ。君にとってはまことに馴染み深い秘密が、まさにそれでもあるのだから。君が深みを、沈潜と夢想の暗夜に探そうとはせずに、理性と実践の朝に見出だそうとするのも――〃深い夜という言葉はあるけれど、なぜ深い朝という言葉はないのだろう〃、「異邦人になる時間」で君は括弧でくくってこんなふうに尋ねただろ――それゆえのことだ。君が明らかに証明したとおり、数学者が頭脳の回転と息を止めて、しばし死の中に入ってゆき、聞こえぬことを聞き、見えぬものを見て、毎朝「数学者の朝」を迎えるのもそのためだ。

だから凛々しくて悲しい君には、どんなにむさくるしい部屋であっても、「広場の見える部屋」になるんだな。遠い国で、ひとりの人間が、〃花に舞い降りる直前の蝶のように　ふるえながら〃燃えあがるとき、国中が燃えあがり、燃えたものたちが悲しげに揺れて、〝もっとたくさんの単語を〟集めたなら、おもりのように揺れるすべてのものが〝明日にはもっと激しく揺れるにちがいない〟ことだってあるだろう。世界が共振して、小さな雲が大きな雲へと流れゆき、「窓を開ければ　海がどっと流れ込んでくる」ように。そのとき君ができることは、憐れな魚たちにも「思いのほか大きく」影を描いてやり、「遠くから火影が落ちてくる」みたいに見えるようにすること、それは悲しいけど凛々しい。世界中を燃えあがらせる火は、そんな影の窓からだけ見えるんだ。わかりきった世界から、もう一つの世界を、君はそんなふうにささやかながらも切実に証明するんだ。

もう十分に理解した世界からは旅立たねばならない　まさに故郷からのように
もう十分に理解した人から旅立つがごとく　あたかも親からのように

さよなら、と独り言するとき
でたらめ、と石の角をコンと蹴ってつぶやくとき

ひざまずいているひとりの物乞いが、作り物の涙を浮かべて、口をぽかんと開けて

君を見ているのだと、君は「一味ども」で書いているよね。そんな口と〃素顔で〃出くわすのは〃汚れた者どもの一味になるということ〃だと、君は実に冷ややかに書いているよね。この世のすべての物食う者たちが手に手を取り、陸地と太陽をぐるりと囲んで、永遠に円くなって踊ったことなんてないよね。でも、問題は、もう理解してしまったということではなく、永遠に輪になって踊りつづけることは不可能だということでもなく、これ以上理解を必要としていないことをもって、新たな理解の深みを仮装しているということだろうな。理解しなければならぬことをさらに創りだすことのできない世界のおぞましさは、これから向かうべき世界までをも既に行ったことのある世界にしてしまい、底が透けて見える水たまりをもって、あの完全なる海の墓をつくるということなんだろう。「ゆけども　ゆけども　故郷はあまりにも多く」とも、旅立つ者にとっては、故郷は墓ではあるまい。

　だから、君の時間はいつでも朝で、〃怖ろしい獣が歩いて〃いる〃夜明け〃だ。怖ろしい森の咆哮も、恐怖に膝をついて歩く者の悲鳴で隠されている。〃森の傷跡にはキノコが足の指みたいに〃生えてきて、夢想の月が消える前にすでに明るい知性の太陽が到着している。〃木が根っこで歩いてきて〃、歩く者のつま先にすでに到着している。恐ろしいものたちは足を攻撃するけれど、〃足が知っているのは疲れだけ　落胆などまったく知らない〟のだから、君の朝には傷を負っている悲しみよりも大きな力などないんだな。悲しみは、理解するべきあらゆる沈黙を抱きしめて、とどまることなく果てしなく揺らいでいるあの遠い海を、今ここにある小さな波とつなげよという命令であり、その唯一の原動力であろうから。

けれど、痛みのない悲しみはないんだ。桜が千の眼を開くとき、路地に捨てられた椅子に腰かけ、明け放たれた陽光、開け放たれた鉄の門、その「陰」にしゃがみこんで、出発も到着もなく、解氷も結氷もなく、濡れた膝を乾かすとき、桜の木からさくらんぼが落ちるのだとしても、

ホッキョクギツネとセイウチとアザラシと
白い虹と白い雲霧と
砕氷船もなければ
海峡もないの

ちょっとの間、石の陰にたたずむさくらんぼを、舌もなく愛もなく蟻が舐めることになるのを君は嘆く。世界はあまりに年老いてしまったのではないか。すみずみまで

習慣しか残されていない世界では、そこから旅立とうとも、すでに理解しているものの外には出ることはできないのだろうか。とはいえ、世界がどんな形で滅亡に向かっていこうとも、滅亡でいっぱいになった君の記憶と君の記憶の言葉がいったいどうして消えることがあろうか。君の記憶はざぶざぶと水を渡って、やらねばならぬこと、やりたいことをやるだろう。君が「異邦人になる時間」で言っていたように、石の監獄にお姫様を閉じ込めることはできても、その囁きを閉じ込めることはできまい。消えた言葉の数々が夕立のように僕らの頭の上に降りそそぐとき、人間が相も変わらず愚かであろうとも、〝強い雨は昨日のことで、激しい川の流れは今日のことになる時間〟を、僕らは間違いなく迎えるんだろう。人々は君が世界の滅亡を阻止したと記憶することだろう。でも、それは、あまりにも遅れてやってくる記憶なんだ。

凜々しいソヨン。

光り輝かんばかりに悲しい詩、「河と私」を語らぬわけにはいかないよ。君は今、あの場所で、今だと言うんだね。君は今、あらゆる準備が整ったと言おうとしているんだね。洗い髪を太陽の光で乾かして岩の上に座っているのだと、石は丸くて草はやわらかいのだと、釣り人の魚籠《びく》は魚で溢れているのだと、焚火の魚はカリカリしているのだと、空腹はひりひりとして、準備は整ったのだと、今、君は、言おうとしているんだね。なのに、ああ、その時間は悲しい。その今は永遠にやってくることはなさそうで悲しい、不意にやってきそうで悲しい。君はひとすくいの波をもって海の練習をするのだけれど、その海が昔々に死んでいたという知らせを聞いているようで悲しい、どうかすると巨大な水のかたまりが平然と目の前に横たわっていそうで悲しい。君の今は、君がなによりも深い悲しみで満たされている時間だから悲しい。悲しみだけが本当に凛々しいものをつくりだすのだという、このアイロニーが悲しい。なあ、ソヨン。

黄鉉産《ファンヒョンサン》（一九四五年〜二〇一八年）

文芸評論家。仏文学者。翻訳家。フランス象徴主義と超現実主義の詩世界を主に研究し、『顔なき希望—アポリネール詩集『アルコール』研究』『言葉と時間の深み』『よくも表現された不幸』『夜は先生だ』『ファン・ヒョンサンの現代詩散考』などの著書がある。大山文学賞、筆鋒批評文学賞、美しい作家賞などを受賞。韓国の前衛詩を積極的に擁護する批評活動をとおして二〇〇〇年代韓国詩壇にもっとも大きな影響を与え、文学を愛する読者たち、文学に携わる者たちによって大いに愛され、深く尊敬された批評家である。

訳者あとがき

ああ、なんてこと、キム・ソヨン！

二〇二三年六月一日、仁川の海辺に、詩人キム・ソヨンに会いに行ったんです。韓国に行くのは四年ぶり、コロナで往来が難しくなって以来のことで、旅する足取りもちょっと覚束なくなったような感じで、ゆらゆらとね。

作りかけの小さな辞書を携えていきました。キム・ソヨンの世界を読み解くための私だけの辞書。この辞書にはどんな言葉が収められているかって？　気になりますよね、教えてあげましょう、少しだけ。

「春」「花」「四月」「雨粒」「悲しみ」「父」「夜」「郵便受け」「深海、深海魚、脊索動物」「견디다（耐える）」……。

言葉を拾い出して表にしてみたけれど、意味の欄はまだ空白。詩人と話しながら、その空白を埋めようという心積もりだったのです。

詩人とは、仁川空港の近くのホテルのロビーで待ち合わせました。ブラッドオレンジの色をした車に乗って詩人は現れて、ほおお、その色に感動した私は心も弾んで車に乗り込む、詩人が車を走らせる、海が見える、砂浜に降り立つ、なにかが私のなかで動き出す。

ああ、旅が始まったんだな。

ふっと思いました。そもそも詩を読むこと、書くこと自体が一つの旅、とりわけキム・ソヨンの詩は旅を生きる詩で、なによりキム・ソヨン自身が旅を生きる人なんだから、と。

旅を生きる？　口先で言うのはたやすいことですね。手慣れた言葉でたやすく旅を語る者もこの世には数多くいますね。A地点からB地点へと体を移動させることだけが旅なのでもないですね。ひとところにじっとしていても、故郷から異郷へと旅する者がこの世にはいる。旅を生きれば、つまりは、日々住み慣れた〈故郷〉をあとにして、日々〈異郷〉に身を置くならば、皆があたりまえのように使っている故郷の言葉は、常に今の自分の言葉ではない。言葉もまた旅をするんです。旅を重ねて、越えるべき境を知る言葉があるんです。そんな言葉の存在を知る者こそが詩人なんです。しかも、旅する言葉の存在を知ることと、その言葉を紡ぎ出すことは、また別のこと。至難の業。生きるのと同じくらいに至難の業。（ああ、なんてこと、キム・ソヨン！）

そっと私は呟く。
ともかくも、もう旅は始まっているんです。
さくさくと砂を踏んで歩きながら、かたわらの生身の詩人におもむろに尋ねました。
これまでの旅で、いちばん遠くに行ったのはどこ？
現実の旅ではないんだけどね、そう詩人が話しはじめる、生身の声で。

夢の中で私はマチュピチュにいました。古代インカ帝国のマチュピチュ。私は必死で神殿の石の階段を駆け上がり、駆け下りているんです。ぜえぜえと息が切れています。そのとき私は痩せ細った犬でした。喉が渇いてたまらなかった私は、ぺちゃぺちゃと泥水を飲みました。夢から覚めたとき、私はまだ犬でした。口の中には泥水のにおいが……。（実は今も犬なのかもしれない）

その話を聞く私も、すでに舌を垂らして山野を走る痩せ細った山犬なのでした。山犬が走る山野は、日本の東北のまさかりの形をした広大な原野。欲に駆られた者たちがそこに生きる者を札束ではたいて追い出して、山川草木鳥獣虫魚すべての命にとって毒にしかならないものを吐き出す巨大な黄金製造装置の神殿を建設しようとしている原野です。私もやがて毒まじりの泥水をすするのだろうと絶望しながら、絶望の彼方への跳躍を、そのための言葉を、探して走る、走る、走る、息が切れても、生きるために走る。

（ああ、なんてこと、キム・ソヨン！）我に返って砂浜に立つ私は、そっとそう呟く。振り返れば、『数学者の朝』を読みはじめたときから、もうすでに私は私自身の旅へと背を押されていたのでした。旅ゆくキム・ソヨンが紡ぎ出した旅の言葉に翻弄されながらも、あなたはあなたの旅を、あなたの言葉で生きてゆけ、という囁きをずっと聞いていたようなのでした。

私は蝶のように想像力をはためかせて花たちの声に聴き入るの、無数の雨粒に寄り添うの、あなたの旅はどこまでのびてゆく？　深海の底まで？　夜の果てまで？　そう囁きかけるキム・ソヨンも確かにいたのでした。春の中には冬も潜んでいるし、光には闇も溶け込んでいる、忘却の中にすら記憶は息づいていると言い、私の旅する想像力はあなたの旅する想像力と触れ合うことができるよね、境もなく交わって、思いを寄せ合って、それぞれに歩んでゆく、そんな旅を生きる私たちだったらいいよね、と祈るように呟くキム・ソヨンにも、私は詩の中ですでに出会っていたはずなのでした。

そういうわけで、仁川まで会いに行ったのに、キム・ソヨンを読み解くための、作りかけの小さな辞書の空白はそのままになっています。詩は読み解くものではなく、生きるもの。埋めるべきものがあるとすれば、それは、詩を生き、旅を生きる自分自身の空白なのですから。この詩集を手に取って旅人となったあなたも、それは同じ。今さら気づいても、もう引き返せない。(ああ、なんてこと、キム・ソヨン!)

姜信子

二〇二三年九月九日

著者　キム・ソヨン（金素延）

詩人。露雀洪思容文学賞、現代文学賞、李陸史詩文学賞、現代詩作品賞を受賞。

詩集『極まる』『光たちの疲れが夜を引き寄せる』『涙という骨』、エッセイ集『心の辞典』など多数発表。

邦訳に、第八回日本翻訳大賞受賞作品『詩人キム・ソヨン　一文字の辞典』（姜信子監訳、一文字辞典翻訳委員会訳　クオン）、エッセイ集『奥歯を噛みしめる　詩がうまれるとき』（姜信子監訳、奥歯翻訳委員会訳　かたばみ書房）がある。

訳者　姜信子

作家。横浜生まれ。主な著書に、『棄郷ノート』（作品社）、『ノレ・ノスタルギーヤ』『ナミイ！八重山のおばあの歌物語』『イリオモテ』（岩波書店）、『生きとし生ける空白の物語』『路傍の反骨、歌の始まり』（港の人）、『声　千年先に届くほどに』『現代説経集』（ぷねうま舎）、『平成山椒太夫 あんじゅ、あんじゅ、さまよい安寿』（せりか書房）、『はじまれ、ふたたび』（新泉社）、『語りと祈り』（みすず書房）、共著に『忘却の野に春を想う』（白水社）など多数。

また、訳書に『あなたたちの天国』（李清俊 みすず書房）、『モンスーン』（ピョン・ヘヨン　白水社）、共訳に詩集『海女たち』（ホ・ヨンソン　新泉社）『たそがれ』（黄皙暎　クオン）、監訳に『詩人キム・ソヨン　一文字の辞典』（キム・ソヨン　クオン）等がある。

セレクション韓・詩 03

数学者《すうがくしゃ》の朝《あさ》

2023年11月20日　初版第1刷発行

著者　キム・ソヨン（金素延）

訳者　姜信子

編集　長尾美穂

ブックデザイン　松岡里美（gocoro）

印刷　大盛印刷株式会社

発行人　永田金司　金承福

発行所　株式会社クオン
〒101-0051
東京都千代田区神田神保町1-7-3 三光堂ビル3階
電話　03-5244-5426
FAX　03-5244-5428
URL　https://www.cuon.jp/

ISBN 978-4-910214-50-4 C0098